www.editionsmilan.com

© 2007 Éditions MILAN – 300, rue Léon-Joulin, 31101 Toulouse Cedex 9, France.
Droits de traduction et de reproduction réservés pour tous les pays.
Toute reproduction, même partielle, de cet ouvrage est interdite.
Une copie ou reproduction par quelque procédé que ce soit, photographie, microfilm,
bande magnétique, disque ou autre, constitue une contrefaçon passible des peines
prévues par la loi du 11 mars 1957 sur la protection des droits d'auteur.
Loi 49.956 du 16.07.1949
ISBN : 978.2.7459.2873.3
Dépôt légal : 3ᵉ trimestre 2007
Imprimé en Espagne

Les plus beaux chevaux

Martine Laffon

Illustrations de Laurence Bar

MILAN jeunesse

Les plus beaux chevaux

Élégance et beauté

Modèles pour artistes

Photographié au galop rassemblé, ce bel étalon campé sur ses postérieurs fait voltiger le sable. Il poursuit sa course, sans se douter qu'il ressemble, soudain figé par la photo, à une statue de marbre blanc.

En Mongolie, les poètes aiment chanter la beauté
des chevaux blancs : blancs comme la lune ou comme
le lait des juments. Ils sont, paraît-il, les plus rapides
à la course et portent bonheur à leurs propriétaires.

On dit de Léonard de Vinci qu'il voulait sculpter un cheval
parfait. Il avait beau chercher dans les champs ou les riches
écuries, il ne le trouvait pas. Il dessina alors une tête
de cheval si belle qu'elle pouvait convenir à son modèle.
D'un autre, il choisit le corps et d'un troisième l'encolure
et la croupe puissante. Dès lors, l'œil du peintre vit
de la beauté en tout cheval qu'il regardait.

Contrairement à son habitude, il ne tourne pas le dos au vent. Sa crinière s'envole, mais lui reste immobile, comme une statue d'airain, esquissant à peine un geste d'agacement : le sabot levé, prêt à gratter le sol ou à s'en aller. Impatient, le modèle piaffe.

Défilé de robes

**Qui a peint la robe des pintos avec des taches si drôles ?
Et celle des appaloosas, ornée de ronds et de pois ?**
Quelqu'un qui aime la fantaisie et pense que l'ennui vient
de l'uniformité. Les robes peuvent être d'une seule couleur
– blanches, noires, café au lait – ou composées : une robe
rouanne compte trois couleurs. Une robe pie est blanche
avec des taches d'une autre couleur.

Pie, tachetée, unie, claire ou foncée, la couleur soyeuse de sa robe donne au cheval de l'élégance. Pour chaque silhouette ainsi parée, on peut imaginer, dans la clarté d'un rayon de soleil, qu'elle défile comme un mannequin sur un podium. Ce n'est pas un hasard si l'ensemble des poils et des crins d'un cheval s'appelle une robe !

*S*ur le mur, en silence, trotte un cheval d'ombre, cheval imaginaire, devançant l'autre, le vrai, d'un mouvement, d'une encolure, d'un sabot. Il marque sans le vouloir le parcours du soleil. Peut-être ressemble-t-il par la courbe de son dos, son poitrail musclé, sa tête finement dessinée, et ses naseaux dilatés, au coursier qui tirait autrefois l'Astre solaire à travers le ciel ?

Les chevaux ont souvent été associés au temps qui passe. Les chevaux noirs marquaient la course de la nuit et les blancs, celle du jour. Les légendes racontent qu'il y a beaucoup de chevaux dans le ciel. Certains, les soirs d'orage, ont cru les entendre galoper.

Crinières au vent

À quoi servent la crinière d'un cheval et son toupet descendant parfois jusqu'aux yeux ? À le protéger des insectes et surtout des mouches qui, dès les beaux jours, font tout pour l'agacer.

Longue, longue à toucher terre,
on dirait, à voir cette crinière ainsi
déployée, les blonds cheveux ou le voile
d'une reine flottant au vent. À moins
que ce ne soit Pégase, le cheval
ailé des légendes grecques,
qui galope dans les prés ?

**Peu importe que la crinière
des chevaux soit en bataille**
ou soigneusement peignée,
elle sent toujours bon. Il suffit
de la caresser pour que
son parfum âcre imprègne
le bout des doigts, un parfum
qui évoque des terres inconnues
et des déserts lointains. Au pas,
au trot ou au galop, la crinière
des chevaux invite
aux voyages.

Regards mystérieux

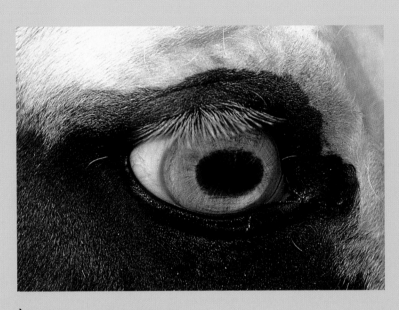

**À quoi pense-t-il ? On aimerait
lire la réponse dans ses yeux vifs**
et brillants... Mais le cheval
déteste être observé fixement.
Qu'on le regarde les yeux dans
les yeux, et d'un geste brusque,
il dégage sa tête et poursuit,
ignorant notre présence,
son exploration.

On dirait un miroir où se reflète le monde, un petit globe terrestre avec des chemins tracés. Mais l'œil rond du cheval reste toujours un mystère, même pour ceux qui le connaissent. Son regard énigmatique scrute toujours plus loin l'horizon.

**Même au pré où il se prélasse
dans l'herbe tendre, le cheval**
est sur le qui-vive car il doit
pouvoir s'enfuir au moindre danger.
Ses yeux et ses oreilles, toujours
en alerte, sont réceptifs
au plus petit changement
dans la campagne alentour.
Lorsqu'un cheval est trop craintif,
on dit qu'il est « sur l'œil ».

Oreilles expressives

**Ces deux petits triangles dressés au-dessus
de la tête, qui s'agitent chacun dans un sens,**
sont comme des antennes. Les oreilles du cheval
lui permettent de continuer à brouter paisiblement
tout en enregistrant tout ce qui se passe
aux alentours. Douces et vives, elles entendent
le moindre bruit à des centaines de mètres.

Deux oreilles bavardes, chacune à leur façon,
qui s'interrogent, se fâchent très fort ou bien
réfléchissent. Deux oreilles contentes ou deux oreilles
tristes. Les oreilles des chevaux parlent.
Elles disent bien plus qu'elles n'en ont l'air...

Rapidité, force et puissance

À grande allure

Pour faire l'éloge du cheval le plus rapide, un poème mongol le compare à un tourbillon de vent, à une flèche, à la grêle, au faucon qui attaque. À vrai dire, il n'existe pas d'images assez flatteuses pour évoquer toute la puissance et la force de sa vitesse.

Soudain agressif et jaloux qu'un autre
empiète sur son territoire pour lui dérober
son herbe, le cheval s'élance à la poursuite
du voleur. Le bel alezan à la robe brune
galope ventre à terre pour lui échapper :
il a encore dans la bouche quelques
brins de l'herbe volée.

Ils ont beau être alourdis par leurs réserves de graisse qui leur permettent de résister aux froids de l'hiver, les chevaux savent où se trouve leur point d'équilibre. Grâce à cela et à leurs quatre pieds, ils peuvent se pencher périlleusement sans tomber. Même dans la neige, c'est plus facile pour piquer un petit galop et se réchauffer.

*L*orsqu'ils galopent en liberté, les chevaux sont impressionnants. Leur instinct de fuite est tellement fort qu'on dirait que rien ne peut les arrêter. Mais parfois, pris de panique ou poussés par l'excitation générale, ils galopent trop près les uns des autres, s'affolent et risquent de se blesser. Un cheval lancé à toute vitesse court en moyenne à 30 km/h. De tout temps, leur rapidité a été exploitée par l'homme : dans l'Antiquité, ils étaient utilisés pour les courses de chars. Quelques siècles plus tard, les relais de poste ont permis de changer de cheval toutes les sept lieues, soit tous les 28 km.

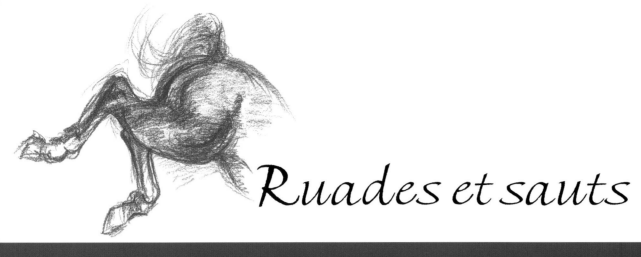

Ruades et sauts

Qu'il est bon de s'amuser en liberté ! Un petit
saut par-ci, une ruade par-là, juste pour le plaisir
de détendre ses postérieurs et de faire ce que
l'on veut sans personne sur le dos.

Les chevaux parlent avec leur corps. Une ruade est une marque de défense. Elle signifie : « Je te tape parce que tu m'agresses ! N'avance pas plus près, sinon je recommence. » Il arrive aussi que le cheval rue juste pour jouer. Il le dit avec ses oreilles : elles ne sont pas couchées en arrière, comme lorsqu'il manifeste sa colère, mais sur le côté, en signe de gaieté.

Au pré, lorsqu'un cheval est très énervé par un insecte qui l'agace ou un chien qui l'agresse, il se défend en bondissant sur place. Mais parfois il saute simplement pour se dépenser. D'ailleurs, on dit d'un cheval en liberté qui bondit, galope, saute et rue sans raison particulière qu'il jette son feu. En revanche, lorsqu'il est monté, il saute pour montrer qu'il est ravi de sortir de son écurie, ou qu'il veut désarçonner son cavalier. Pour rester en selle, celui-ci devra comprendre pourquoi son cheval est mécontent et refuse de répondre à ses ordres.

Et hop ! C'est parti ! Qu'il soit léger
ou lourd, le dos rond, l'encolure basse,
un petit saut de mouton, le cheval
a l'impression de décoller en faisant
des bonds. Attention à l'atterrissage !

Comment exécuter un saut joyeux au ralenti ?
Un : se dresser. Deux : se servir du dos pour lever
les membres postérieurs. Trois : jeter ces membres
postérieurs en arrière et lancer les membres
antérieurs en avant. Quatre : rassembler les jambes.
Cinq : toucher terre grâce aux membres antérieurs
et rétablir l'équilibre. Sinon gare au plongeon…

Un seul de ses sabots touche le sol ; on dirait
qu'il vole. Pourquoi saute-t-il ainsi ? Fait-il le beau
pour impressionner ses congénères ? Donne-t-il
une leçon pour franchir un obstacle imaginaire ?
À moins qu'il ne s'entraîne à quelque figure acrobatique ?

Le photographe a saisi l'instant où le cheval saute dans une posture comique, comme s'il rebondissait sur un drôle de trampoline. Observer les mouvements des chevaux en liberté permet de mieux comprendre quels sont leurs besoins ou la façon dont ils se défendent... Reconnaître leur comportement permet aussi de respecter leur personnalité.

Quand résonnent les sabots...

Qui a décidé que le cheval aurait une robe plutôt qu'un pelage, des jambes plutôt que des pattes, et qu'il porterait un bracelet au-dessus du sabot (c'est ainsi que se nomme l'étroite bande de poils blancs qui en fait le tour) ? Un poète pour sûr !

Les chevaux ont des ongles bien
étranges aux pieds : ce sont les sabots.
Lourds et denses, ils rythment la course
d'un martèlement sourd et réveillent
les villages endormis lorsqu'ils résonnent
sur la route. C'est aussi au son
des sabots qu'avance la cavalerie.

Il n'a que quelques jours, mais le poulain galope déjà...
C'est inné. À sa naissance, les sabots durcissent vite.
Mais dans le ventre de la jument, ils étaient tout mous
pour ne pas perforer la poche dans laquelle il s'est
développé. La corne des sabots pousse d'un à deux
centimètres par mois car elle s'use au contact
du sol. Elle est faite pour protéger le pied.
D'ailleurs, les spécialistes disent :
« Pas de pied, pas de cheval ! »

Combat de chefs

La lutte pour le pouvoir est engagée. D'abord, les chevaux s'observent ; soudain, ils se défient : ils se dressent et se cabrent face à face. Leurs silhouettes noires se découpent dans le bleu du ciel. Il s'agit d'impressionner l'adversaire. Les antérieurs prêts à frapper et les mouvements de sabots forment une danse étrange et sauvage. Le premier qui recule a perdu la bataille.

Lorsqu'ils vivent à l'état sauvage, les étalons
se cabrent pour se défendre ou attaquer. En appui
sur leurs postérieurs, ils sont toujours à la limite
de l'équilibre. Un moment d'inattention,
et ils pourraient se renverser sur le dos.

En liberté, une harde est composée d'un étalon, de plusieurs juments et de poulains. L'étalon surveille jalousement ses juments ; il s'assure qu'aucun autre mâle ne s'introduise dans son troupeau. Dès qu'un rival s'approche, il regroupe les juments puis le défie en lui montrant sa force.

Dans les prés, les poulains se mesurent les uns aux autres. Ils jouent pour savoir qui est le plus fort. Ils font mine de se provoquer, mais ils esquivent les menaces. Ils sont encore trop jeunes pour se défier comme les étalons qui, parfois, vont jusqu'à mordre leur rival à la gorge. Mais c'est très rare, en général le combat n'est pas aussi redoutable : les adversaires frappent le sol pour s'intimider ; ils se cabrent pour menacer ; ils se dressent pour attaquer ; mais ils se blessent rarement à mort. Le dominé accepte sa défaite en s'éloignant du groupe.

Dès leur plus jeune âge, les chevaux apprennent le langage qui leur permettra de communiquer entre eux. Positions du corps, des oreilles, de la queue, hennissements sont autant de signes pour indiquer qui domine, qui est dominé, qui est agressif, qui est calme... Un poulain qui serait élevé seul deviendrait rapidement anxieux ou agressif faute de comprendre le langage de ses congénères. En jouant, les jeunes testent ces codes et font leur apprentissage.

Complicités et amitiés

Mon petit poulain

**À peine né, le voilà debout, prêt à marcher,
le regard vif et les oreilles pointées pour découvrir**
le monde. Mais pour le moment, il n'est pas
question de s'aventurer loin de sa mère.

Pour que petit poulain devienne grand et prenne des forces
pour gambader, il devra téter jusqu'à soixante-dix fois par jour.
Que de patience pour les juments avant que leur petit ne broute
de l'herbe ou soit sevré ! Elles devront attendre qu'il ait six mois.

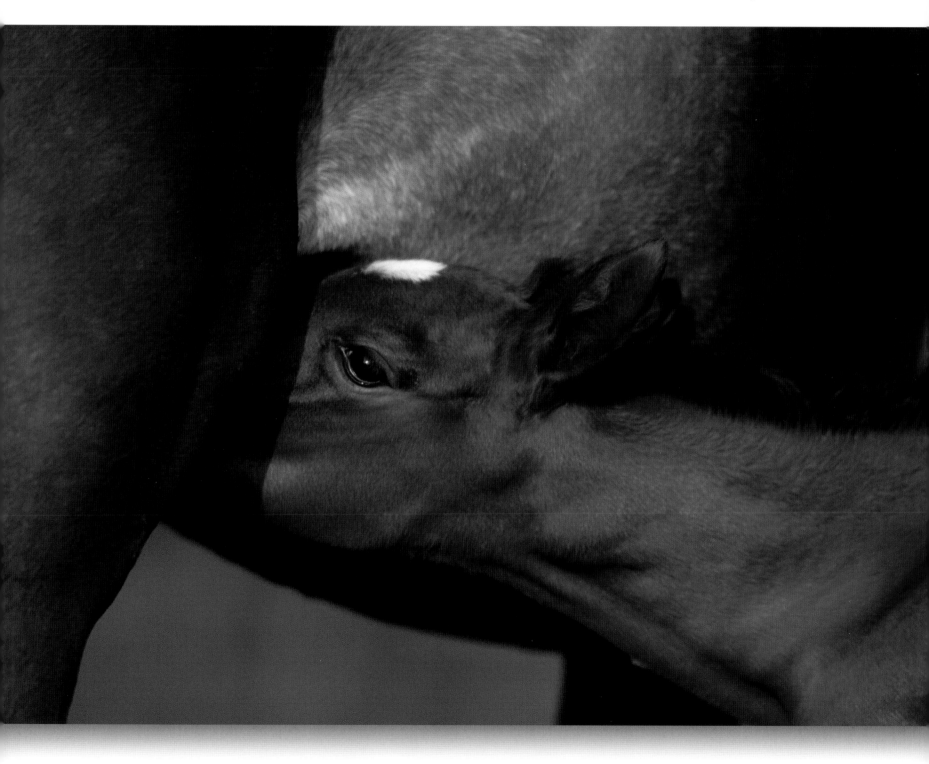

Il est difficile pour le poulain, doté de grandes jambes et d'une petite encolure, de brouter l'herbe fraîche. Pour lui, le sol est bien bas.

Rien ne vaut une balade avec sa mère au petit trot. Même port de tête et même port de queue, il lui ressemble comme son ombre. À ses côtés, il apprend vite comment un poulain bien élevé doit se comporter.

Une jument n'accepte d'être tétée que par son petit. Elle le reconnaît facilement à son odeur car elle s'en est imprégnée en le léchant à sa naissance. Les petits malins qui veulent tricher sont reçus par des ruades. Aussi ils ne s'y risquent pas souvent. Lorsque la jument n'a plus de lait, elle rejoint les autres poulinières et délaisse son poulain. Alors, il est temps pour lui de devenir autonome, de vivre en groupe et de se faire des amis. Souvent les jeunes mâles et les pouliches forment des groupes séparés. On dit qu'elles n'apprécient pas la brutalité de leurs jeux et préfèrent rester entre elles.

**Les chevaux sont naturellement curieux :
ils aiment savoir ce qui se passe**
aux les alentours, repérer qui arrive,
identifier qui s'approche. En se flairant
le bout du nez, la tête et le corps,
les poulains jugent à qui ils ont affaire.
L'odorat des chevaux est très développé ;
il leur permet de distinguer les odeurs
familières des odeurs inconnues
et de ne jamais oublier ni leurs amis,
ni leurs ennemis... Pour monter à cheval,
mieux vaut éviter de se parfumer
de la tête aux pieds, car les chevaux
apprécient rarement !
À moins de sentir la carotte,
ce qui n'est pas fréquent !

Les deux font la paire

Cherchez l'erreur ! Ces deux-là
se ressemblent comme deux frères :
ils portent la même balzane
– une marque de poils blancs sur
l'un des antérieurs –, et une étoile
sur le front.

Quant aux frisons, ils ne démentiraient pas
le proverbe : « Qui se ressemble s'assemble. »
Ils ont la même robe noir d'ébène, si élégante
et racée. Mais il doit bien y avoir une petite
différence pour les reconnaître ? Peut-être
dans le regard ? Ou l'encolure ? Allez savoir !

$\mathcal{L}$es chevaux le disent aussi : « Qu'il est bon d'avoir un ami! Et un ami, c'est pour la vie!» On partage tout : un petit galop, un tête-à-queue pour balayer les mouches, un pommier pour s'abriter de la pluie… Il faut vraiment que l'herbe soit rare pour que les deux amis acceptent d'être éloignés l'un de l'autre. Grâce à des hennissements complices qui signifient : « Je suis là, pas loin de toi », ils se rassurent. Il n'est pas question qu'un nouveau se joigne à eux, il n'a qu'à se trouver d'autres copains. Les chevaux qui vivent ensemble depuis de longues années ont leurs habitudes. Ils se lèchent, ils se grattent mutuellement. Lorsque l'un rentre à l'abri, l'autre suit. S'il mange, l'autre aussi!

Ce sont plutôt les adultes qui sont fidèles en amitié. Car les poulains cherchent toujours de nouveaux compagnons pour s'amuser. Mais à tout âge, les chevaux détestent l'ennui qui peut les rendre profondément tristes s'il dure trop longtemps.

Grattouillis entre amis

Lorsque deux chevaux qui ne se connaissent pas se rencontrent, ils commencent par s'observer attentivement. Par prudence, ils gardent leurs distances. Chaque cheval se protège ainsi en préservant un « espace personnel » qu'aucun ne franchit sans y être invité.

Oreilles, tête et corps sont en position de bienvenue :
les deux chevaux se rapprochent doucement.
Puis ils entrent en contact en se flairant les naseaux,
l'encolure… Maintenant, ils sont amis. La confiance
règne. C'est le moment de se grattouiller mutuellement
la crinière pour se débarrasser des insectes.
Ils adorent, cela leur fait tellement de bien !

Autres copains…

**Quelle drôle d'odeur et quel drôle
d'animal ce petit chat ! Faut-il**
être prudent ? Mais non, réflexion
faite, voilà un ami parfait !
Le regard doux du cheval,
ses oreilles souples et ses lèvres
détendues parlent pour lui.
Il est heureux d'être en bonne
compagnie.

Le poulain a bien compris que ce chien minuscule n'a rien d'un prédateur
et aurait bien du mal à le dévorer.
Il ne demande qu'à devenir son ami.
Mais cet ami qui entre en contact
un peu vite, est plutôt surprenant.

On a toujours besoin d'un plus petit que soi! Ces hérons gardes-bœufs sont les bienvenus. Ils débarrassent les chevaux de leurs parasites en échange de ce surprenant perchoir qui les met eux-mêmes à l'abri des prédateurs.

**Les chevaux vivent depuis si longtemps
en compagnie de ces drôles d'oiseaux**
qu'ils continuent de brouter sans
se préoccuper de leur présence.
Ni leur envol ni leurs cris ne les dérangent.

Tous ensemble

Sous le chaud soleil de l'été, les juments prennent le frais dans les marais. Elles se sont regroupées avec leurs petits sur une bande de terre. La halte est paisible, même si elles montent toujours la garde. On ne sait jamais...

Les chevaux aiment la liberté et les grands espaces.
Autrefois, lorsqu'il n'y avait ni barrières ni enclos,
leurs ancêtres, rassemblés en groupe, parcouraient en tous
sens des territoires immenses. Qu'importe s'ils subissaient
le soleil et la pluie, le vent et le froid ! Vivre en troupeau,
boire et pâturer au gré des balades, s'abriter à l'ombre
d'un arbre ou d'une haie, c'est le vrai bonheur des chevaux.

Un bruit soudain, le vent froid de l'hiver qui pique les naseaux ou juste l'envie de jouer, et voilà tous les chevaux au galop. Le chef, en tête, mène la bande. Chacun sa place. Les plus jeunes apprendront qu'il y a une hiérarchie dans le groupe, sinon gare aux ruades. Les oreilles couchées, interdiction de dépasser !

Et les chevaux détalent d'un bout à l'autre du champ, inquiets, oreilles aux aguets, cherchant à repérer qui veut les attraper. Comment échapper au danger ? En galopant, en galopant toujours plus vite. Et même s'il n'y a plus de prédateurs pour les menacer, l'instinct de fuite dicte sa loi.

Dans le groupe, il y a une différence entre le chef et le cheval dominant. Le chef est celui qui est le plus habile pour faire face à toutes les situations. Il prévient les chevaux en cas de danger ; il les conduit vers d'autres pâtures ; il trouve des points d'eau. Le dominant, lui, intimide les autres. Par exemple, il mange toujours le premier lorsque les chevaux sont nourris au pré.

Dans un troupeau sauvage, les poulains apprennent rapidement à vivre en groupe. Surtout ils doivent veiller à respecter l'autorité des chevaux les plus âgés. Sinon ces derniers se chargent, avec une bonne ruade, de leur rappeler les règles communes à tous.

Au rythme des saisons

Herbes de printemps

Avec les pluies de printemps, les herbes tendres et sucrées poussent dans les prés. Certaines sont déjà en graines. Dans les pâturages, on entend le petit bruit sec des incisives coupant les jeunes tiges.

**Les herbes de printemps sentent bon
et chatouillent les naseaux. En plus,**
elles sont très nutritives. Mais attention !
Les chevaux les plus gourmands
ne doivent pas en manger trop ;
ils risqueraient une fourbure.

Les poulains sont nés au printemps. Les jambes vacillantes, ils ont fait leurs premiers pas.
Cela demande de gros efforts. Place au réconfort : allongés dans les prés, ils se reposent enfin. Sous le regard des juments, ils dorment en toute confiance.

Entre deux tétées et quelques jeux,
il faut se reposer. C'est juste une petite sieste. Elle est brève car la curiosité est plus forte que le sommeil.

Lorsqu'ils vivent dans les prés, les chevaux s'organisent pour se détendre tout en restant vigilants. Ils connaissent leur territoire et ses dangers. C'est pourquoi ils veillent à tour de rôle. Les uns dorment pendant que les autres les protègent. C'est ainsi depuis toujours. En fait, les périodes de sommeil paradoxal sont brèves. D'ailleurs, allongé sur le côté, le cheval est gêné par son poids ; il respire mal. Et puis, en cas d'urgence, il ne pourrait pas se relever rapidement. En revanche, couché sur le ventre, les membres antérieurs repliés, il peut se laisser aller à un sommeil profond. Dans cette position, il est sur ses quatre jambes à la moindre alerte. Fréquemment, il somnole debout : alors il bloque les articulations, et ses jambes deviennent raides comme des piquets !

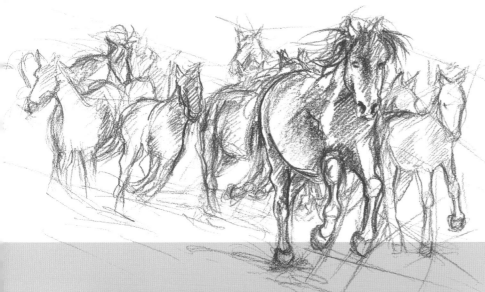

Orage d'été

Beauté, force et puissance émanent des chevaux au galop. De tout temps, ce tableau de la nature sauvage a inspiré les peintres et les photographes portés par la sensation de liberté du troupeau.

Les chevaux sauvages galopent dans la plaine. La terre sèche
tremble sous leurs sabots. Ils cherchent peut-être à fuir
l'orage qui gronde au loin. La harde file droit devant elle.
Pour se reposer de cette grande cavalcade, il lui faudra
trouver une halte désaltérante au bord de la rivière.

Neige et frimas

L'hiver est de retour, le cheval a
du givre jusqu'au bout des naseaux.
En automne, sa robe s'est étoffée.
Grâce à ses poils épais et serrés,
il est bien protégé. Malgré cela,
ce n'est pas sa saison préférée.

La neige excite les chevaux. Au lieu des vastes étendues
vertes, le sol est recouvert d'une couche blanche
et glacée. L'herbe est rare et gelée. Il est difficile
de brouter. Pire, la neige s'accumule à l'intérieur
des sabots. Les chevaux ont froid aux pieds.

Sur la neige fraîche, un cheval noir galope. Surgi de nulle part, il trace son chemin et marque le sol de ses empreintes... Majestueux et indifférent à la métamorphose de la nature, il passe tel le noir destrier du prince de l'Hiver.

Si la base de son oreille est froide,
cela veut dire qu'il est temps qu'il trouve
un refuge abrité et de la nourriture
un peu riche pour affronter les longues
gelées de l'hiver et se protéger
des tempêtes de neige.

Les chevaux peuvent résister à des températures
très basses, jusqu'à – 15 °C. Mais il leur faut du temps
pour s'habituer au froid. Lorsqu'ils vivent en groupe,
ils se rassemblent souvent en cercle pour mieux
conserver leur chaleur, ou bien galopent avec vigueur.
Ainsi ils se réchauffent.

Depuis des millénaires, les chevaux fascinent les hommes. Ils les ont dessinés sur les parois de leurs cavernes, puis sculptés en marbre, en terre ou en bronze. Ils les ont peints, cherchant toujours à saisir leur beauté, leur puissance, leur élégance. Ils les ont chantés, racontés, mis en poésie, espérant secrètement voler un peu de leur liberté. Et les chevaux, patients, doux et généreux, ont accompagné les hommes tout au long de leur histoire. Ils ont accepté de tirer leurs charrues, de les transporter eux et leurs fardeaux, d'être dans la mine ou sur les champs de bataille à leurs côtés. Les chevaux en silence ont supporté les hommes, leurs gestes, leurs ordres, leurs exigences, sans bien les comprendre. Mais personne ne pourra les apprivoiser contre leur gré. Les chevaux ne donnent leur confiance qu'à ceux qui savent parler avec eux, qu'à ceux qui ont appris à les respecter.

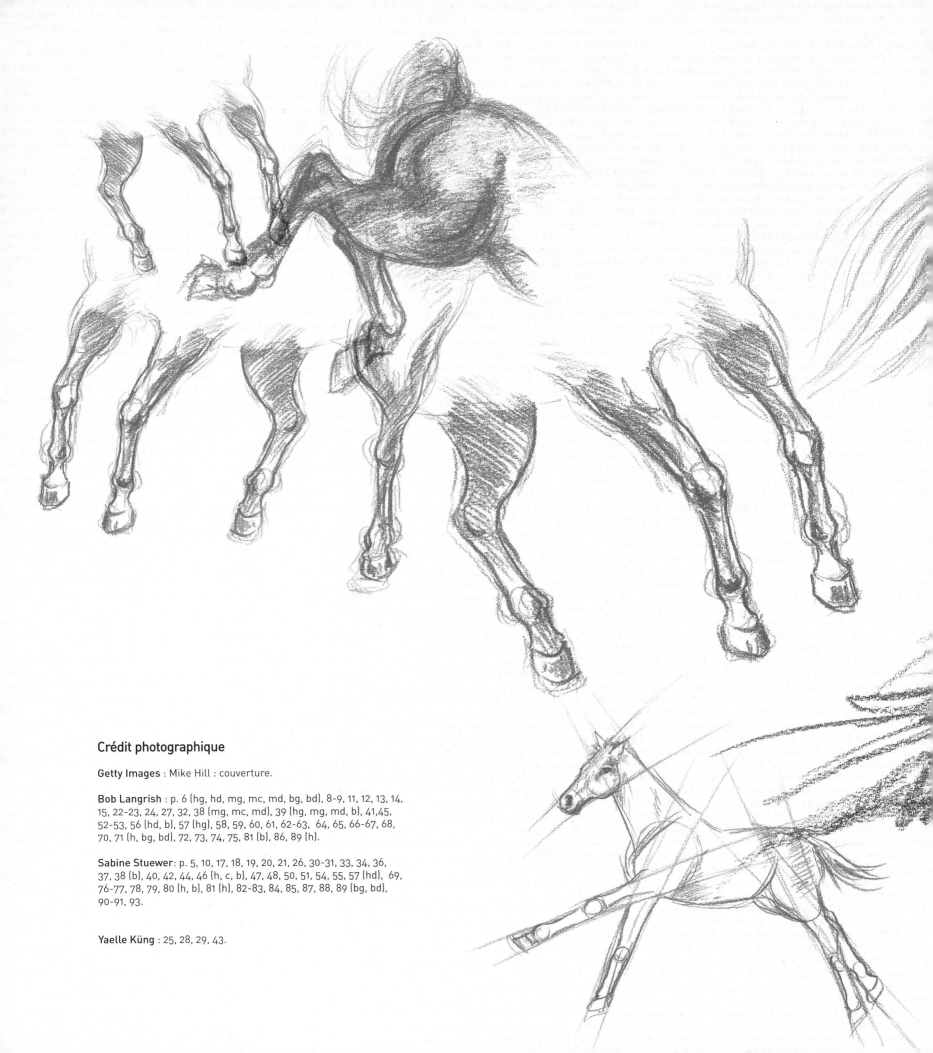

Crédit photographique

Getty Images : Mike Hill : couverture.

Bob Langrish : p. 6 (hg, hd, mg, mc, md, bg, bd), 8-9, 11, 12, 13, 14, 15, 22-23, 24, 27, 32, 38 (mg, mc, md), 39 (hg, mg, md, b), 41,45, 52-53, 56 (hd, b), 57 (hg), 58, 59, 60, 61, 62-63, 64, 65, 66-67, 68, 70, 71 (h, bg, bd), 72, 73, 74, 75, 81 (b), 86, 89 (h).

Sabine Stuewer: p. 5, 10, 17, 18, 19, 20, 21, 26, 30-31, 33, 34, 36, 37, 38 (b), 40, 42, 44, 46 (h, c, b), 47, 48, 50, 51, 54, 55, 57 (hd), 69, 76-77, 78, 79, 80 (h, b), 81 (h), 82-83, 84, 85, 87, 88, 89 (bg, bd), 90-91, 93.

Yaelle Küng : 25, 28, 29, 43.